# HET GROENE HART

# HET GROENE HART

FOTO'S > MARTIN KERS   TEKST > HERMAN VUIJSJE

INMERC BV, WORMER

# INHOUD

Weidevogels in de uiterwaarden van de Lek

# MIJN GROENE HART-GEVOEL

In 1989 maakte ik een 'omgekeerde pelgrimstocht', te voet van Santiago de Compostela naar mijn woonplaats Amsterdam. Over die tocht wilde ik een boek schrijven, maar over één kant daarvan had ik me nogal zorgen gemaakt. Bij een reisverhaal horen toch landschapsbeschrijvingen? En daar was ik helemaal niet goed in. In boeken van anderen sloeg ik zulke passages meestal over – ik vond ze langdradig.

Inderdaad is er in dat boek over mijn pelgrimstocht weinig natuurlyriek te vinden. Met één uitzondering: de laatste etappes, door het Groene Hart van Holland. 'In het Groene Hart zijn alle koeien uitgelopen,' schreef ik. 'Zwermen kieviten maken zich gereed voor de trek. Nergens op mijn hele reis zag ik zoveel dieren als hier. Twee reigers maken elkaar het hof. Hele zwanenfamilies drijven tussen kroos van het soort dat bijna onweerstaanbaar uitnodigt om er een hap uit te nemen of een stap op te zetten. Ik hoor de vette plonsjes van kikkers die in een beter gevulde sloot springen.'

Drie dagen nam de tocht door het Groene Hart, van Dordrecht via Schoonhoven en Harmelen naar Amsterdam. Drie dagen waarin zich na iedere dwarsweg of wetering alleen maar nieuwe weelderige kavels uitstrekten, groen met paardebloembespikkeling, tot een volgende verre bomenrij. Mijn beschrijving van het Groene Hart liep uit op een regelrechte lofzang: 'Groen als je hart. Het blauw van de boerinnenschorten. Het geel van de bus aan de overkant. GPV-verkiezingsplakkaten in vrolijk oranje. De rechtschapen gevels bekoren in hun opsmukloze pracht; de drie linden, streng gesnoeid, ervoor. Op de dijken fietsen de kinderkonvooien op weg naar school, eerst de jongens-, dan de meisjesgroepjes.'

Ik kon het dus toch – landschapsbeschrijvingen op papier zetten. En het ging helemaal vanzelf! Midden in de Alblasserwaard passeerde ik een boerderij met de naam *Tob Nooit*, en toen ik twee dagen later ten noorden van Harmelen opeens voor een breed water stond, en dreigde een uur terug te moeten lopen, voegde ik de daad bij het woord. Ik hield een passerend jordaankruisertje aan, dat me overzette. Een kleine, zelfbevochten overwinning op het ongeregelde, een mespuntje avontuur in aangeharkt Nederland.

Want dat is het bijzondere van het Groene Hart, dat onvermoede lyrische krachten in me wakker riep: het Hart is tot op de centimeter door mensen gemaakt, maar tegelijk ruim, wijd en vrij. Zal dat ook zo blijven? Dat is een klemmende vraag. Daarom wordt dit verhaal niet alleen een lofzang, maar ook een hartenkreet, en is de toonzetting behalve lyrisch ook bezorgd.

*Herman Vuijsje*

# GROEN ALS JE HART

In het diepst van mijn gedachten heb ik over het Groene Hart een vreemd gevoel. Ik, zomaar een van de miljoenen inwoners van West-Nederland, heb het idee dat het Groene Hart van mij is. Het is voor mij gemaakt. Iemand heeft diep in mijn binnenste gekeken, een lijstje gemaakt van alles wat mij dierbaar is en wat mij ontroert, en me daarna het Hart aangemeten alsof het een maatpak was.

In het begin had ik het nog niet in de gaten. Het Hart was er al, en ik kwam pas kijken. We gingen erheen op de fiets of met de bus, dus niet te ver van de stad – maar dat hoefde ook niet, want in de jaren vijftig was je vanuit Amsterdam-Oost al na een kwartier fietsen in het Groene Hart. Langs de Gaasp en de Vecht zag – en voelde! – ik elzenkatjes. Hoe kon iets wat zo aaibaar was aan een boom hangen? En wilgenkatjes – in een oogwenk was je hand geel van het stuifmeel. Later in het jaar waren ze droog en hard, dat gaf een triest gevoel. Langs het Merwedekanaal – nu het Amsterdam-Rijnkanaal – wees mijn vader me groot hoefblad aan, en vertelde dat al die planten ondergronds verbonden waren door één eindeloos lange stam. Dat kon ik me goed voorstellen: die stam liep natuurlijk precies onder de dijk van het kanaal!

We hadden een zeilboot, en legden aan bij de Diem, ook alweer vlakbij de stad. Dotters plukken. Opeens had je ook pinkster-bloemen, een beetje oudedamesachtig, door hun kleur en door een liedje dat mijn ouders zongen, over een 'fiere pinksterblom'. Dotters waren stoer, pinksterbloemen nuffig, groot hoefblad was geheimzinnig, elzenkatjes waren sexy-avant-la-lettre. Allemaal kleine gevoelens en gewaarwordingen. Maar toch heel indringend, want zelf was ik ook klein.

Die reeks van beelden en associaties is sindsdien steeds maar uitgebreid. Naarmate ik mijn hoofd verder boven het maaiveld uitstak kwamen er nieuwe bij. Dobberen in een roeibootje in de Botshol met een vriendinnetje. De melancholieke geur van vochtig hooi in de avond. Nog later: in m'n eentje op een woonboot in de Kagerplassen, verliefd op een eend.

Pas de laatste tijd zijn al die sentimentele bits & pieces in mijn hoofd samengesmolten tot één groot gevoel, het Groene Hart-gevoel. Misschien is het een kwestie van leeftijd, en moet je de vijftig gepasseerd zijn om de waarde te onderkennen van zo'n landschap, ook zonder dat er bijvoorbeeld een aantrekkelijk vrouwspersoon in rondloopt. Maar het is niet alleen de leeftijd die dat gevoel aanwakkert, het is ook het verloop van de tijd zelf. De veranderingen in het Hart, de bedreigingen ervan, maken mijn Groene Hart-gevoel acuut en urgent. Net nu ik weet dat het Hart van mij en voor mij is, net nu ik het geheel een beetje kan overzien, beginnen ze er van alle kanten met hun tengels aan te zitten.

In de jaren zeventig kreeg mijn Groene Hart een nieuwe horizon toen ik het boemeltreintje ontdekte dat dwars door het Hart van Amsterdam naar Rotterdam sukkelt. Als journalist moest ik nogal eens in Rotterdam zijn. Zaken zijn zaken, daarbij paste geen Groene Hart-gemijmer. Gewoon de snelste trein nemen, vond ik. Maar als ik zorgde niet vóór kwart over het hele uur op het Centraal Station te zijn, was die boemel – die eenmaal per uur vertrok om zeventien over – de snelste verbinding naar Rotterdam! Dat treintje legde Gouda en Woerden voor me open, de Lange Linschoten, de Meije en de Vlist, Schoonhoven, Haastrecht en Oudewater. Het jaagpad langs de Grecht, van Woerden naar Woerdense Verlaat, met onderweg de Kameriske Nessen – je moet in Woerden even zoeken, maar het is nog steeds een van de mooiste wandelingen door het Hart.

Ik maakte kennis met de Lopikerwaard, het land van Herman de Man. Het kerkepad van Polsbroekerdam, waar hij opgroeide, naar Cabauw, ligt er nog even verlaten bij als toen hij zijn fameuze streekromans schreef. Cabauw en Benschop waren de centra van *De kleine wereld* die De Man schetste.

Mijn werk als jong verslaggever bracht me ook naar de Alblasserwaard, nog dieper het Hart in. Tijdens de 'affaire-Aantjes' toog ik naar Bleskensgraaf om zijn jeugd in kaart te brengen. De Alblasserwaard is de essentie van het Groene Hart. Letterlijk: als je het Hart driedubbel stookt en destilleert, is de Alblasserwaard wat je overhoudt. Alleen die naam al. En het landschap: de totale stilte op het pad langs de Grote Achterwaterschap, met alleen de wind door het riet en het gesnater van een eend. De boerderijen langs de Giessen, zo krachtig en pront dat het lijkt of ze vanaf het begin bij dit stuk van Gods schepping hoorden.

Later, in 1989, doorkruiste ik de Alblasserwaard van Papendrecht naar Gelkenes bij het veer naar Schoonhoven. Het was een van de laatste etappes in mijn 'omgekeerde pelgrimstocht'. Nergens zag ik de unieke combinatie van weidsheid en poezeligheid, kenmerkend voor het veenweidenlandschap, zo mooi. Maar toen ik er een paar jaar geleden opnieuw was, en van Gelkenes naar Sliedrecht wandelde, schrok ik. De grootste verworvenheid, de weidsheid van de waard, wordt op allerlei manieren aangetast. Boomgaarden en bospercelen schieten uit de grond. Overal waar een boer er de brui aan geeft, zijn Staatsbosbeheer en Natuur-monumenten er als de kippen bij om een nieuw stukje natuur – lees: bos – aan te leggen. De statige boerderijen aan de Graafstroom hebben gezelschap gekregen van een hele horde nieuwbouwvilla's.

Wie er nooit eerder is geweest, zal ook nu nog onder de indruk komen van de Alblasserwaard, maar de oue sok weet: als het zo doorgaat verandert ook de waard in een fantasieloos samenstel van plukje dit, plukje dat, huisje, bosje, weitje. Als de ontwikkelingen op hun beloop worden gelaten, is het binnen afzienbare tijd gedaan met de grootsheid van de Alblasserwaard.

De Lopikerwaard

Bij Breukelen

Groot hoefblad

Nieuwkoop

Langs de Vlist >

< Het Merwedekanaal bij Meerkerk ∧

Het Merwedekanaal bij Meerkerk

De ringvaart rond de Haarlemmermeer bij Hillegom

< Op de Westeinderplas bij Leimuiden

Melkbussen in Polsbroekerdam

Melkbus langs de Vlist in Polsbroekerdam

De Alblasserwaard

De spoorlijn Woerden-Gouda, ten zuiden van Driebruggen

Hoenkoop

Rijpwetering

Lopikerwaard

De A12 bij Woerden

# HET INCASSERINGSVERMOGEN VAN HET VENNEMEER

Een jaar of tien geleden werd er opnieuw een stuk toegevoegd aan 'mijn' Groene Hart. Een vergeten stukje eigenlijk, maar toch verbazend vitaal. Ik huurde een woonboot in het Vennemeer, een uitloper van de Kagerplassen, ingeklemd tussen Leiderdorp, de A4, de A44 en binnenkort de hogesnelheidslijn. 's Nachts was het er heel donker. Op een maanloze nacht had ik een zaklantaarn nodig om de boot te bereiken. Toch waren er altijd lichtjes te zien: in de lucht hingen de vliegtuigen van en naar Schiphol te knipperen, in de verte waren de galerijflats van Leiderdorp te zien. Leiden was een lichte plek daarachter.

Tot nu toe is het Kaaggebied – ondanks zijn beklemde positie tussen bebouwing en infrastructuur – redelijk gespaard gebleven voor lelijke en grootschalige ingrepen. Voor de chic van Leiden en Den Haag is het een gekoesterde lustwarande, met veel zeilpetten boven een gerimpeld en gebruind gelaat, vlaggen met het wapen van de *KNZRM De Kaag*, en kapitale motorjachten. Dat laat de Haagse elite zich niet zo gauw afnemen. Ook de boeren in het gebied dragen hun steentje bij; veel van hen zetten zich met kracht in voor landbouw met een natuurvriendelijke aanpak. Ze wonen in schitterende boerderijen met namen als *Het Klaverblad*, *De Eenzaamheid* en *Mijn Ouders Wensch*.

Maar in die laatste boerderij wordt tegenwoordig niet meer geboerd en de beknelling van het Vennemeer neemt toe, zoals ik uit eigen waarneming moet vaststellen. Bijna ieder jaar kom ik wel een keer terug naar het Vennemeer, en iedere keer houd ik mijn hart vast. Jaar na jaar rukt Leiderdorp op. Als de sprong naar de overkant van de weg Leiden-Roelofarendsveen eenmaal is gemaakt, liggen kilometers weerloos weiland voor het grijpen. Als ze dan even doorbouwen, staan de flats op een paar kilometer van het Vennemeer. Grote delen van de grond zijn al aangekocht door projectontwikkelaars. Nu het bestemmingsplan nog even veranderen via een noodprocedure.

Tien jaar meeleven met het Vennemeer hebben me opgezadeld met een dubbel gevoel: verontrusting over wat oprukt, naast blijde verbazing over wat er toch nog is. Is het glas half leeg of half vol? Ik mis de kruidenier aan de overkant van de plas, die zijn winkeltje van de hand deed, waarna het binnen twee weken had plaatsgemaakt voor een kapitale villa, opgetrokken uit prefab elementen. Ik zie met ergernis hoe de prachtige houten optrekjes die recreanten aan de plas hebben gebouwd, stuk voor stuk veranderen in saaie stenen villaatjes: comfortabeler, betere belegging en geschikt voor permanente bewoning (die niet mag). Maar ik smelt ieder jaar weer als ik zie hoe de wind rimpels over het water blaast onder een heleboel lucht, en als tegen de avond een flottielje ganzen geruisloos naderbij komt

schuiven om met dwingend gegak een stuk brood op te eisen.

Ik word al helemaal weerloos als ik Eend zie, op wie ik al jaren in stilte verliefd ben. Aanvankelijk was Eend me niet opgevallen. Dat gebeurde pas toen ik op een middag op het terras zat, terwijl zij had postgevat op een van de kettingen die de boot met de vaste wal verbinden. Ze was bezig haar toilet te maken en deed dat op zo'n onverstoorbare en sierlijke manier dat ik wel moest blijven kijken. Af en toe keek ze even schuin terug. Meteen daarna strekte ze weer koket haar vleugel om met haar snavel de onderkant te reinigen, waarbij het paarsblauwe toefje op haar flank zich spreidde tot een adembenemende, haast tropisch aandoende waaier.

Niet alleen vond ik Eend prachtig, ze leek me ook een degelijke huisvrouw. Er was geen sprake van een nonchalant pikje hier en daar, maar van een complete schoonmaakbeurt waarbij geen plekje werd vergeten. Ook de onderveertjes niet, met als gevolg dat na zo'n wasbeurt steevast een maagdelijk donsveertje aan haar snavel bleef plakken. Het gaf het effect van een vrouw met een snor, maar dan een heel zacht donzig en schattig snorretje.

Eend herhaalde dagelijks haar ritueel en geleidelijk bloeide onze relatie op. Ze liet haar aanvankelijke – voorgewende? – onverschilligheid varen en reageerde steeds welwillender op de stukjes brood die ik haar toegooide. Op een goede middag spreidde ze opeens die prachtige vleugels van haar en vloog pardoes het terras op. Minder leuk vond ik het dat na verloop van tijd enkele woerden uit de omgeving haar voorbeeld volgden. Ik kende deze makkers. Bij een vorig verblijf had ik gezien hoe ze met dames plegen om te gaan. Terwijl zes, zeven jongen angstig piepend rondzwemmen, moeten ze ervan getuige zijn hoe hun moeder door zo'n woerd wordt besprongen, met de snavel in de houdgreep wordt genomen en tijdens de brute verkrachting ook nog met haar hoofd onder water wordt geduwd.

Nu zaten deze knapen met Eend te smoezen op een hoek van mijn terras. Moest ik deze lui ook gaan onderhouden? Na een weekje tandenknarsen vermande ik mij en bedacht dat ik moest wérken aan onze relatie. Is ware liefde niet onbaatzuchtig? Als ik echt van Eend hield, moest ik haar de ruimte geven om haar eigen leven te leiden. Grootmoedig betrok ik ook mijn mededingers in het brood uitdelen.

Oude man, verliefd. Hij zit in zijn stoel en kijkt. Daarmee moet hij genoegen nemen, en het is goed. Eend die haar vleugels opzet en uitschudt, boven haar spiegelbeeld in het hardblauwe water. Haar snorretje tekent zich haarscherp af in het heldere licht van het Groene Hart. Daarvoor geef ik alle vrouwen van Gauguin op de stranden van Tahiti cadeau.

Schiphol                                                                                                    De Amstel >

Het aquaduct van de ringvaart van de Haarlemmermeer bij Weteringbrug

Boerderij aan de voet van de Lekdijk

Het Klaverblad in Oude Ade >

Boerderij aan de Tussenlanen te Bergambacht

Oudewater

Brandwijk

Molenaarsgraaf                    Polsbroekerdam

Giessenburg

Stolwijk

# HET HART BEZONGEN

Herman de Man is waarschijnlijk de bekendste, maar niet de eerste schrijver die het Groene Hart heeft bezongen. Begin negentiende eeuw beschreef Hildebrand in zijn *Camera Obscura* hoe drie Leidse studentjes met drie vriendinnetjes in een 'roeischuitje' stappen om uit spelevaren te gaan. Bij een boerderij wordt aangelegd en 'een heldere boerin kwam buitenloopen om ons welkom te heeten.' 'Onze zeug het ebigd,' verklaart een van de boerenkinderen, wat voor het tere gemoed van de jongedames wordt vertaald als: 'Ze vertelt dat het wijfjesvarken... in de kraam is gekoomen.' Later loopt het bootje, bij een poging om vergeetmijnietjes te plukken voor de bevallige Amelie, aan de grond. Bij het loswrikken valt Pieter Stastok in het water, waarna opnieuw koers wordt gezet naar de boerderij.

Het verhaal is vol van lyrische beschrijvingen, die echter niet zozeer betrekking hebben op het schitterende landschap, maar op de kokette strohoedjes en de ranke voetjes van de dames. Het varken en de vergeetmijnietjes zijn de enige verwijzingen naar het boerenlandschap waar het tochtje doorheen voert. In de negentiende eeuw was het gebied rond Leiden nog lang niet het gekoesterde en bedreigde Groene Hart van onze dagen. Het boerenland omringde de stad, dat was een gegeven – niet iets om bijzonder over te doen. Een eeuw later schreef Herman de Man zijn romans over het boerenleven in de Lopikerwaard. De Man woonde in Polsbroekerdam, Oudewater, Woerden en Gouda. Hij beminde het gebied uit het diepst van zijn hart, maar ook bij hem zijn opvallend weinig beschrijvingen van het landschap te vinden. Soms sluipt er wel eens een tussendoor. Een lofzang op de Lange Linschoten bijvoorbeeld, met zijn 'lieflijke hoge kwakels die als wit siergarnituur losweg gestippeld lagen' over het riviertje. Maar bij De Man gaat het altijd in de eerste plaats om de bewoners van het landschap. Herman de Man, Salomon Herman Hamburger, kreeg aan de Markt in Oudewater een monument – een boerengezin op een bank – met opschrift: 'Een zoeker naar het hart van mensen die in het hart van Holland leven'.

Lyrisch werd men vroeger niet van de polder, maar van een wolliger en romantischer landschap: de duinen. Hun 'blanke top' die 'schittert in de zonnegloed' was een geliefd onderwerp voor dichters en zangers. Pas in de twintigste eeuw verdwenen de duinen als het symbool van poëtische vaderlandsliefde, om plaats te maken voor het Hollandse polderland. De duinen leenden zich voor romantiek en lyriek, waarin een elite zich kon vermeien. De polder is recht, wijd en overzichtelijk, en appelleert daarmee aan meer robuuste, breed gedragen Hollandse voorkeuren.

Rond 1900 vroegen pioniers als Heimans en Thijsse aandacht voor wat nu in beleidsnota's wordt aangeduid als de 'natuurwaarden' van het Hollandse landschap. In 1904 verzette Thijsse zich met succes tegen de plannen van Amsterdam om het Naardermeer te dempen met huisvuil. Het werd het eerste 'natuurmonument' van de in het jaar daarop opgerichte Vereniging tot Behoud daarvan.

Voor Jac. P. Thijsse was heel Nederland mooi, maar de dieren- en plantenwereld van plas en polder had zijn speciale liefde. Opgegroeid in Woerden, hoefde hij in zijn befaamde Verkade-albums nooit lang te zoeken naar bloemrijke zinnen om al dat moois te beschrijven: 'Helder geel zijn de dichte pollen van dotterbloemen langs den oever, fijn donzig geel de katjes aan de wilgenstruiken. Aan bijna onzichtbaar fijne kronkelsteeltjes hangen de bloempakjes van het vroegste onzer grassen: het veenreukgras.'

Ook de schrijver Nescio was – hij zou gruwen als hij het las – uitgesproken 'modern' in zijn appreciatie van het Hollandse landschap als iets dat niet vanzelf spreekt, maar heel bijzonder is, en het beschermen waard. Zijn beperkte oeuvre is voor een groot deel gewijd aan onnavolgbare beschrijvingen van het Hollandse landschap, met een speciale liefde voor de veenstroompjes ten zuiden van Amsterdam en het Hollands-Utrechtse plassengebied: dat deel van het Groene Hart dat je vanuit Amsterdam gemakkelijk per bus kunt bereiken. Iedere keer raakt Nescio weer even verrukt van wat hij daar ziet: 'de zon glinstert in het Gein, de eerste plompebladen liggen op 't water bij de weerspiegeling van de wilgen, de weiden en de kanten van de wegen staan vol paardebloemen en boterbloemen, de schaduwen van de boombladen liggen op 't kroos in de sloten.' Nescio was ook een meester in het beschrijven van het 'naderingsgenoegen' van de wandelaar in het vlakke land: hoe je aanloopt op zo'n torentje boven het groen aan het eind van de plas. Kortenhoef en Vinkeveen waren zijn favorieten, de mijne Haastrecht.

In zijn latere werk krijgen de beschrijvingen van het landschap en de veranderingen daarin iets amechtigs. Het lijken wel mantra's, de opsommingen van plekken en herinneringen. Zo loopt hij tijdens de oorlog een oude vriend, Flip, tegen het lijf. In het verhaal *Insula Dei* bieden de twee oudere mannen tegen elkaar op met beelden van toen. 'Kun je hier over de Loosdrechtse plassen kijken naar de bosschen van 't Gooi?' vraagt Flip. 'Sta je bij de veerpont en zie je Schoonhoven liggen over de Lek in 't half donker en hoor je de toren acht uur slaan?' Toelichting is overbodig – het zijn uitroepen, spreuken. Het zijn magische formules van het Hart.

In het *Natuurdagboek*, waarin Nescio van 1946 tot 1955 zijn uitstapjes boekstaaft, beschrijft hij in een ademloos staccato alles wat hij ziet. Keer op keer, dat geeft niet, tijd om lopende zinnen te maken gunt hij zich niet. 'Laantje tusschen Abcou en Baambrugge en molen! Verder op ver over de weiden de cathedraal van Vinkeveen en later weer het wegje met de molen en later weer Ouerkerk op de horizon.'

Nescio was een romanticus, maar ook een ouwe brompot. Bij heruitgaven van zijn werk kon hij het niet laten om noten toe te voegen als: 'Dit aardige wipbruggetje bestaat ook al niet meer. De weg is over het water heen geplempt. God zegene de verantwoordelijke autoriteiten. Als 't kan een beetje hardhandig.'

< De Vijfheerenlanden

De Reeuwijkse Plassen

De Meije, ten noorden van Bodegraven

Uiterwaarden aan de Waal

De Lange Linschoten

De Lange Linschoten

De Hoenkoopsche Sloot

Langs de Kromme Mijdrecht

Westbroek

Leerbroek

Lopik

Polsbroek

Polsbroek

De Diefdijk

# GRENZEN VAN HET HART

Wat is het Groene Hart eigenlijk precies? In de jaren vijftig kwam het begrip 'Randstad' in zwang. Volgens de legende is die naam bedacht door luchtvaartpionier Albert Plesman. In 1938 vloog hij boven West-Nederland, keek naar beneden en zag dat Amsterdam, Den Haag, Rotterdam en Utrecht een ring van steden vormden. Op zichzelf is die 'Randstad' niet uniek. Elders in West-Europa bevinden zich andere 'netwerkmetropolen', zoals het Ruhrgebied en de driehoek Antwerpen/Gent/Brussel. Wat de Randstad bijzonder maakt, is de combinatie met het Groene Hart: het centrale veenweidegebied met een nog grotendeels agrarische bestemming.

Ook de benaming 'groene hart' dook in de jaren vijftig op, maar het duurde tot 1973 voordat het genoemd werd in een beleidsbepalend stuk van de rijksoverheid. Het kabinet-Den Uyl kondigde dat jaar in zijn regeringsverklaring aan, de verstedelijking van het platteland te willen beteugelen en het groene hart van de Randstad te willen beschermen. Tot dan toe was in ruimtelijke-ordeningsnota's gesproken van 'het middengebied' of 'de centrale open ruimte' van de Randstad. Aanvankelijk was ook de term 'groene hart' nog een gewoon gebruiksbegrip, dat zonder hoofdletters werd geschreven. Pas later kwam de magische uitstraling: het ene, unieke en onvervangbare Groene Hart.

Waar begint dat Hart en waar houdt het op? Voor mij – treinreiziger uit Amsterdam – ligt de grens vlak ten westen van de A2, ter hoogte van Breukelen. Op die plek takt het eerder genoemde spoorlijntje af van de hoofdverbinding Amsterdam-Utrecht, gaat onder die highway door, en dan: pats... de stilte van het Hart. Het lijkt of je een andere wereld binnenrijdt. Op de terugreis is de overgang nog grootser. Vlak voor het viaduct onder de A2 komt het treintje piepend tot stilstand om een paar intercity's voorrang te verlenen. Vlakbij is het snelverkeer zichtbaar, maar als je het raampje openschuift hoor je alleen een diepe stilte, en zie je een zwanen-familie die voorbij komt varen door een sloot met een berm vol bloemen.

Het is een mooie, scherpe begrenzing, die mij altijd vanzelfsprekend en tijdloos leek. Maar grenzen en bestemmingen zijn in Nederland nooit gevrijwaard van verandering. Dit voorjaar kwam ik er weer eens langs, en zag zand en draglines. De weg wordt verbreed, of misschien komt er een bedrijvenpark op een 'zichtlocatie'.

In ieder geval: er wordt gewoeld – de grens wordt verlegd. Op dezelfde reis zag ik even verderop, vlak voor Woerden, een groepje mannen in het land staan, ook hier maakte weiland plaats voor zand. Vanuit mijn treinraampje zag ik nog net hoe een gigantische opblaasbare champagne-fles zich langzaam verhief om het heuglijke feit luister bij te zetten.

De grenzen van het Hart zijn de plekken waar over zijn toekomst wordt beslist, waar contrasten zichtbaar worden. De discussie is actueler dan ooit. Volgens Milieudefensie is het de hoogste tijd om de 'Groene Grens' te trekken. Al eerder kwam een Amerikaans architectenechtpaar met het idee van een *Green Belt* rond het Groene Hart: een onaantastbare groenstrook die tot in lengte van dagen de begrenzing moet aangeven.

Niet alleen de grens, ook de 'inrichting' van het Hart is een steeds nijpender punt van discussie. Opvallend is dat in de visie van de regering daarop sinds het begin van de ruimtelijke ordening in Nederland weinig is veranderd. In de eerste Nota over de ruimtelijke ordening (1960) waren de recepten voor het Groene Hart in grote lijnen al dezelfde als nu. Het Hart moest open blijven, en met landelijke functies ingericht. Landbouw was belangrijk, omdat Nederland na de ervaring van de hongerwinter in zijn eigen voedselbehoefte moest kunnen voorzien. De steden moesten zich zo veel mogelijk ontwikkelen in een ring rond het Groene Hart. In volgende ruimtelijke-ordeningsnota's werden deze uitgangspunten bevestigd. Het Groene Hart moest vrij blijven. Nieuwbouw moest in eerste instantie plaatsvinden in de stad of dicht tegen de stad aan, en pas als het niet anders kan op afstand van de stad.

Intussen was er wel een verschuiving in de motivatie van dit beleid. Met het opengooien van de Europese binnengrenzen en de globalisering van de economie, verminderde de betekenis van het Hart als voedselproducent. Maar nieuwe issues als milieu, natuur en recreatie vergden eveneens een 'open' Hart. In de Vijfde Nota over de Ruimtelijke Ordening, die in 2001 verscheen, wordt het Groene Hart dan ook aangewezen als 'Nationaal Landschap', en krijgt het op grond daarvan extra bescherming. Het andere nieuws is dat het Hart onderdeel wordt van de 'Deltametropool', een 'stedelijk concept met een vergrote schaal en een verhevigde dynamiek' waarin 'stedelijkheid, landelijkheid, nieuwe cultuurpatronen en verheviging van interacties een nieuwe balans moeten vinden.'

Lopikerwaard

Nabij Vinkeveen >

Lopikerwaard

Kinderdijk

De Lange Linschoten

De Alblasserwaard

Montfoort

Stolwijk                                                      Leimuiden

< Driebruggen

Hogebrug

Driebruggen

De omgeving van Lexmond

# VEENWEIDEN: TOT OP DE CENTIMETER DOOR MENSEN GEMAAKT

Hoe ziet een 'typisch Nederlands' landschap er uit? Schrijf op: uitgestrekte weilanden, doorsneden door veenstroompjes met knotwilgen erlangs. Plassen met rietkragen. Koeien, kikkers en weidevogels. Dijken en molens. Het is niet toevallig dat al die ingrediënten in deze combinatie voorkomen. Ze horen allemaal bij het Nederlandse landschap bij uitstek: het veenweidengebied.

Het veenweidenlandschap is in twee opzichten uniek. Het is een uniek-Nederlands landschapstype. Buiten Nederland kom je het bijna nergens tegen. Er zijn wat stukjes in Noord-Duitsland (Ostfriesland) en West-Frankrijk (Marais Poitevin bij La Rochelle), daarmee heb je het wel gehad. Binnen Nederland is het Hollands-Utrechtse laagveengebied, dat ongeveer samenvalt met het Groene Hart, het grootste veenweidengebied.

Uniek is ook dat het veenweidegebied een volledig door mensen gemaakt landschap is. Het is dus geen 'natuur', maar juist een 'cultuurlandschap'. Dat geldt niet alleen voor het land – ook voor het water. De Vechtplassen, de Nieuwkoopse, Reeuwijkse en Westeinder plassen en het Naardermeer ontstonden door turfwinning, vanaf de zestiende eeuw. De vraag naar brandstof was in de Hollandse steden zo groot dat het voor veel boeren interessanter was om 'veenboer' te worden. Tussen de afgegraven gedeelten bleven langgerekte stroken land staan, als 'legakker'. Daarop werd de uitgegraven smurrie uitgespreid. Na tweemaal aantrappen van de veenmassa werd het veen tot turven gesneden, die daarna in de wind werden gezet om te drogen.

Sommige door vervening ontstane plassen zijn later weer drooggelegd. Droogmakerijen als de Rottepolders, Alexanderpolder en de Ronde Venen liggen daardoor een stuk lager dan het omringende land. Deze niveauverschillen maken de waterhuishouding nog ingewikkelder dan ze al is. Daarnaast zie je hier en daar ook bobbels in het landschap: restanten van oude stroomruggen, waar vroeger armen van de Rijn en de Gouwe hebben gelopen. Landschapsarchitect Han Lörzing geeft in *De angst voor het nieuwe landschap* (1982) een voorbeeld van de intensieve vormgeving van het Groene Hart. Het noordelijk deel van de Reeuwijkse Plassen was eerst een binnenzee, die daarna verlandde tot een veenmoeras, waarna het veen werd afgegraven voor turfwinning, zodat er een plas ontstond, die vervolgens werd drooggemalen en als weidepolder in gebruik genomen, totdat men er zandwinning pleegde, waardoor het opnieuw een plas werd. Tracy Metz spreekt in haar boek *Nieuwe Natuur* (1998) van een 'landschap met een bijna kameleontisch vermogen om door de eeuwen heen telkens weer een nieuwe gedaante aan te nemen.'

Na eeuwen van zulke ingrepen liggen grote delen van het Groene Hart er nog groots en lieflijk bij. Het veenweidenlandschap bewijst dat een strak onderscheid tussen natuur en 'cultuur' onzin is. Straks maken ze misschien nieuwe natuur van die plas bij Reewijk; ook dat zal dan een 'cultuurdaad' zijn, een daad van menselijk ingrijpen. Tot in de vroege Middeleeuwen vormde het hele gebied tussen de

zandgronden van Oost- en Zuid-Nederland en de duinen een uitgestrekt veenmoeras. Sindsdien is het geleidelijk drooggelegd, ontgonnen en in cultuur gebracht. Daarbij is het land steeds lager komen te liggen. Veenmos kan ruim veertig maal zijn eigen volume aan water bevatten, maar als dat water wordt weggepompt zakt de veenlaag in elkaar. Door de ontwatering verdroogde de bovenste grondlaag (oxidatie) en klonk het veen steeds verder in, zodat het onder het niveau van de zeespiegel kwam te liggen en met dijken, windmolens en gemalen moest worden drooggehouden. Hierdoor ontstond het typische beeld van de Hollandse polder: laaggelegen landen die afwateren op hogere, tussen kades gelegen boezemwateren.

Sinds het begin van de ontwateringsactiviteiten, zo'n acht eeuwen geleden, is het maaiveld op die manier al twee meter gezakt. En eenmaal in elkaar gezakt, heeft veenmos niet meer het vermogen zich opnieuw met water te vullen. De ontwatering is inmiddels zo ver voortgeschreden dat het ooit zo natte Hart aan verdrogingsverschijnselen lijdt: na een korte periode van droogte moeten de boeren al overgaan tot kunstmatige beregening.

Uiteindelijk viel de grondwaterstand niet verder te verlagen en was het land niet meer geschikt voor de verbouw van akkergewassen, zoals graan. Veenweiden bleken echter uitstekend geschikt voor de melkveehouderij, en in het Groene Hart ontwikkelde zich een zeer welvarende boerenstand, die wereldfaam verwierf met zijn zuivelproducten. Maar de laatste tijd staat de melkveehouderij, door quotering, ziekten en concurrentie, onder druk. Daarmee komt ook het veenweidegebied in de gevarenzone. De 'waarde' van het Groene Hart als overwegend agrarisch gebied wordt twijfelachtig. Ook het politieke belang neemt af: het handjevol boeren is electoraal van weinig betekenis. Andere bestemmingen rukken op – er zijn er genoeg in overvol Nederland.

Maar het Hart is meer dan een optelsom van economische waarden. Organisch gegroeid cultuurlandschap is schaars. In economische termen is het een 'positioneel goed': iets waarvan we maar een beperkte hoeveelheid hebben, die wel kan verminderen maar nooit kan worden aangevuld. Natuur kan tot op zekere hoogte worden 'hersteld', opnieuw ontstaan. Cultuurlandschap niet. Dat is de letterlijk en figuurlijk onschatbare waarde van het Groene Hart. Geen mens kan de integrale verkoopwaarde becijferen van het Hart als landschappelijke schatkamer. Maar als het Hart wordt opgevat als een verzameling locaties voor woningbouw, bedrijven, industriële landbouw, natuur en georganiseerde recreatie, dan valt de waarde ervan wel in geld uit te drukken. Daardoor is het Hart weerloos als deelbelangen de overhand krijgen.

Het Groene Hart is niet alleen door menselijk toedoen gemaakt – het is ook door mensen bewaard. Het is eerst organisch gegroeid, en daarna zorgvuldig gekoesterd en beheerd door een legioen van frikkerige ambtenaartjes, hamerend op hun voorschriften en regeltjes: een triomf van ruimtelijke ordening. Maar de laatste tijd zijn vervelende ambtenaartjes in een kwaad daglicht komen te staan. Ambtenaren willen niet meer vervelend zijn, maar klantvriendelijk. Bestuur en beleidsvorming moet zo dicht mogelijk bij de mensen plaatsvinden, leerden slogans als decentralisatie, deregulering, privatisering en terugtredende overheid. Als hogerhand zijn grijpgrage vingers maar thuishield, zou Ons Dorp vanzelf terugkeren naar de wereld van Jetses, Swiebertje en Dik Trom. Doet zich een probleem voor, dan komen de veldwachter, de baron, de dominee en de oudste boer van het dorp bij elkaar op de kamer van de burgemeester. Stuk voor stuk redelijke kerels, die er met wat geven en nemen heus wel uitkomen. Hoge heren uit de stad kunnen daarbij worden gemist als kiespijn.

In deze arcadische droomwereld begint meteen buiten het dorp de eindeloze polder. Van ongecontroleerd oprukken van glastuinbouw of agro-industrie is geen sprake. Mestoverschotten of milieuschandalen zijn onbekend, evenals spontane stads- en dorps-uitbreiding. In het verre Den Haag zetelt een sterk afgeslankte over-heid, die minzaam toeziet en af en toe een afgevaardigde naar Ons Dorp stuurt, om aan te schuiven bij die bovenstebeste mannen op de burgemeesterskamer voor een goed gesprek onder het genot van een beste sigaar.

Terwijl wij wegdroomden in dit rozige beeld, begon het Groene Hart dicht te slibben. Niet vanzelf, ook niet doordat iemand daartoe heeft besloten, maar doordat we de verantwoordelijkheid het veen in hebben geduwd. Hoewel in het Groene Hart een 'restrictief beleid' geldt voor stads- en dorpsuitbreiding, groeiden de bevolking en de woningvoorraad er in de jaren zeventig en tachtig veel sneller dan in de rest van Nederland. Uit een onderzoek door de provincie Zuid-Holland (1993) naar de handhaving en naleving van bestemmingsplannen voor plattelandsgebieden bleek dat eenderde van die plannen niet werd nageleefd én niet werd gecontroleerd. 'In het hele landelijk gebied van de provincie is een sluipend verlies aan ruimtelijke kwaliteit gaande, door het grote aantal overtredingen en de geringe naleving van de planvoorschriften,' constateerde de Rijksplanologische Dienst in 1994.

De regulering en handhaving van een 'positioneel goed' kun je niet overlaten aan de particuliere sector, niet aan belangen-organisaties en ook niet aan lokale en regionale overheden. Vaak wor-den sectorale of plaatselijke belangen nu eenmaal hoger aangeslagen dan het algemeen belang. Alleen de centrale overheid is in staat om voor het Groene Hart een consequente beleidskeuze te maken, die te vertalen in ruimtelijke keuzes, en op de uitvoering daarvan toe te zien. De centrale overheid kan dat doordat zij 'ver van de mensen afstaat', waardoor ze het minst kwetsbaar is voor beïnvloeding door deelbelangen, en zich een lange-termijnvisie kan permitteren.

Intussen geldt ook hier dat je de situatie ook door een zonniger bril kunt bekijken. 'Het kan allemaal beter,' vertelde Koos van Zomeren me in 1994, wandelend langs de Hollandse Kade, zijn favoriete route door het Groene Hart. 'Maar als er in Nederland vijftien miljoen Belgen woonden, dan stonden hier allemaal huizen. Of Fransen, dan zaten al die vogeltjes al lang in de pan. Als hier allemaal Spanjaarden woonden, dan was het hier één berg vuil. Duitsers? Als hier vijftien miljoen Duitsers zouden wonen, dan waren hier allemaal strandkuilen tot aan Winterswijk. Maar als je hier vijftien miljoen Russen had neergezet, als hier echt revolutie was geweest, dan hadden we deze wandeling niet kunnen maken vanwege de smog.'

Langs de Lek

Jacobswoude

Weteringbrug

< Poldermolens bij Leiderdorp

Molen De Hoop bij Gorinchem

Watermolens bij Groot-Ammers

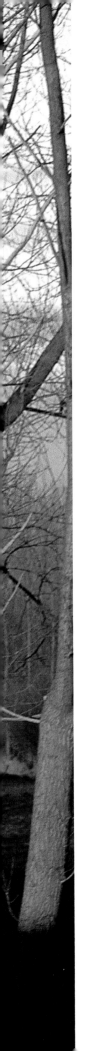

< Langs de Lekdijk

De Lange Linschoten

Polderlandschap bij Lexmond

# WATERWEGEN: SLAGADERS VAN HET HART

Van nature is het Hollands-Utrechtse veengebied doordrenkt van water – te nat om op te wonen of vee te houden. De enige 'doorgaande routes' waren waterwegen als de Lek, de Hollandse IJssel en vooral de Oude Rijn, de noordelijke grens van het Romeinse rijk. In de Romeinse tijd lag de monding van de Rijn bij Katwijk, pas rond het jaar 1000 verlegde de hoofdstroom zich naar de Lek.

Op de zandige oeverwallen langs de rivieren legden de Romeinen wegen aan, zodat er echte vervoers 'corridors' ontstonden. Op de Peutinger Kaart, die de toestand in de vierde eeuw weergeeft, lopen tussen Keulen en de Rijnmonding bij Katwijk belangrijke wegen aan weerszijden van de rivier: de A1 van *Germania Inferior*. Eeuwen later waren dat nog steeds belangrijke doorgaande wegen. Niet toevallig werd in 1787 prinses Wilhelmina van Pruisen door de Patriotten aangehouden nabij Goejanverwellesluis. Ze was onderweg naar Den Haag via de *highway* langs de Hollandse IJssel.

Vanaf de elfde eeuw werden door het moeras kades aangelegd en kwam de ontginning op gang. Hoe het begon, heeft Marijke Kers beeldend beschreven in haar boek *Nederland waterland*: 'Zo'n tien eeuwen geleden groeven de eerste bewoners een greppeltje om water af te voeren. Ze groeven nog een greppeltje om nog meer water weg te laten lopen, toen groeven ze een slootje, daarna een brede sloot, toen kwam er een dijkje, een windmolentje en een gemaaltje.'

Met de opkomst van het graafschap Holland en het bisdom Utrecht werd de ontginning op een meer systematische manier aangepakt. De uitgifte vond plaats door middel van een contract dat bekendstond als 'cope': het recht tot het in cultuur brengen van een bepaald stuk land. Namen als Heikop, Willeskop, Benschop, Nieuwkoop en Boskoop herinneren daar nog aan. De uitgifte werd door het grafelijk en bisschoppelijk gezag aan strikte regels gebonden: elke kolonist kreeg een strook toegewezen met een standaardbreedte van zo'n honderd meter en een lengte van ongeveer 1300 meter. Nog steeds zijn deze kavels vanuit de lucht gezien een wonder van strakheid én sierlijkheid. Een wonder ook van een consistente 'Hollandse' aanpak: de middeleeuwse landmeters slaagden erin, ook in een onregelmatig gevormd landschap ieder een gelijkwaardig stuk toe te bedelen.

De kolonisten bouwden hun boerderijen op de hogere gronden langs de rivieren en aan de dijken van veenstroompjes. In de Alblasserwaard bijvoorbeeld werd de wildernis ontsloten vanuit de Alblas, Giessen, Linge, Laak, Lede, Ammer en Aa. Van daaruit sloegen de pioniers zich door de derrie heen. Steeds dieper het 'holtland' in werkend, schiepen ze de karakteristieke lange kavels van het Hollandse veenweidenlandschap. Het 'recht van opstrek' gold tot aan de achterkade, maar het kon wel vier geslachten duren voor die werd bereikt.

Sinds dit landschap vorm kreeg, tussen de elfde en de veertiende eeuw, is het in essentie niet veranderd. De boerderijen staan nog steeds aan de waterlopen, met de lange kavels erachter. Dorpsnamen als Tienhoven en Achthoven geven nog aan hoeveel hoeven er aan de rand van een polder werden gebouwd. Langs de rivieren ontstonden ook de eerste belangrijke steden, zoals Gorkum en Dordrecht, en pas later Rotterdam en Amsterdam.

Ook de waterhuishouding en later het verkeer vereiste menselijk ingrijpen en de aanleg van infrastructuur. De waterbeheersing in het Groene Hart is zowel de oudste als de meest gecompliceerde van Nederland. In het graafschap Holland ontstond al vroeg een uitgekiend systeem van dijkgraven, heemraden en ingelanden, verplichte bijdragen en een goede controle op de naleving van de verplichtingen tot onderhoud. Het hoogheemraadschap Rijnland dateert al uit de tijd van graaf Willem I van Holland, begin dertiende eeuw.

Tegenwoordig ervaren we de dijken, weteringen en sluizen als mooi en vanzelfsprekend: ze zijn onderdeel geworden van het landschap. Maar zal dat ook zo gaan met moderne infrastructuur van giga-afmetingen als startbanen en achtbaanswegen? Niet alleen de pure maat van zulke voorzieningen maakt dat onwaarschijnlijk, maar vooral het feit dat ze weer andere bebouwing aantrekken. Als we alle highways door het Groene Hart laten uitgroeien tot corridors met aanpalende bedrijven op 'zichtlocaties' – zoals nu al duidelijk te zien is op het weg/spoortraject Amsterdam-Utrecht – valt het Hart uiteen in kleine plotjes. Daarmee verdwijnt de grootsheid ervan en worden de resterende hartkamertjes weer extra kwetsbaar voor de bouwwoede van gemeenten, instanties, bedrijven en natuurfreaks.

Maar niet alle infrastructuur vloekt met het karakter van het Hart. Hoogspanningsleidingen en spoorlijnen zijn 'schoon' en kunnen de weidsheid en rechtlijnigheid van het polderland zelfs een extra accent geven. Een intercity door de polder is een mooi gezicht: een strakke, blauw-gele streep – lang en laag tussen de hemel en de paardebloemen. Dus waarom eigenlijk al die miljoenen uitgetrokken om een paar kilometer hogesnelheidslijn onder de weilanden te verbergen? Voor de treinreizigers is dat ook niet leuk: het Hart is vanuit de trein op z'n mooist.

Het water werd niet alleen aangewend om dingen over te vervoeren, het droeg ook op een andere manier bij tot de bloei van het Groene Hart. Na het mislukte beleg van Leiden in 1573 schreef Alva aan Filips II: 'Om alle oorden, ja zelfs het allerellendigste gat, ligt een greppel vol water, waar eerst een brug over moet worden gebouwd voor men kan oversteken.' De Spanjaarden werden doodziek van al dat water en de Hollanders begrepen dat ze een uniek strijdmiddel in handen hadden. In opdracht van Frederik Hendrik werd begin zeventiende eeuw de 'Utrechtse Waterlinie' aangelegd: als een vijand de Vesting Holland naderde, kon een strook land van zestig kilometer lang en drie kilometer breed tussen de Zuiderzee (Muiden) en de Biesbosch (Gorkum) onder water worden gezet.

Een eeuw later, in het rampjaar 1672, kon de lumineuze vinding worden beproefd: de oprukkende Fransen werden door het water gestuit en dropen plunderend af. Voltaire noteerde verbaasd hoe de Hollanders de dijken doorstaken en hun land lieten onderlopen: 'Zonder morren zag de landman zijn kudde verdrinken. Maar aan de uiterste nood gaf men de voorkeur boven de slavernij.' In 1794 probeerden de Fransen het opnieuw. Dit keer zat het ze mee: door de strenge winter vroren de grote rivieren dicht en kon Pichegru met zijn mannen doorlopen.

Intussen werd de waterlinie voortdurend verbeterd en verfijnd tot een uitgebreid systeem van dijken, inlaatsluizen, inundatievaarten en forten. Rond 1860 was er een Nieuwe Hollandse Waterlinie gereed, met Utrecht als basis. Gemiddeld ging de inundatie niet dieper dan veertig centimeter. Je had dan niets aan boten, maar waden ging evenmin: de vele, nu onzichtbare, sloten en vaarten maakten dat onmogelijk.

Bij de Duitse inval in mei 1940 overwoog de legerleiding terug te trekken van de Grebbelinie op de Waterlinie, maar de lage waterstand maakte dat onmogelijk. Bovendien maakten de Duitsers op grote schaal gebruik van parachutisten. De enige kans om de Nieuwe Hollandse Waterlinie te gebruiken, kwam dus te laat.

Koolwijk

Lopikerwaard

De Zouweboezem in de Vijfheerenlanden

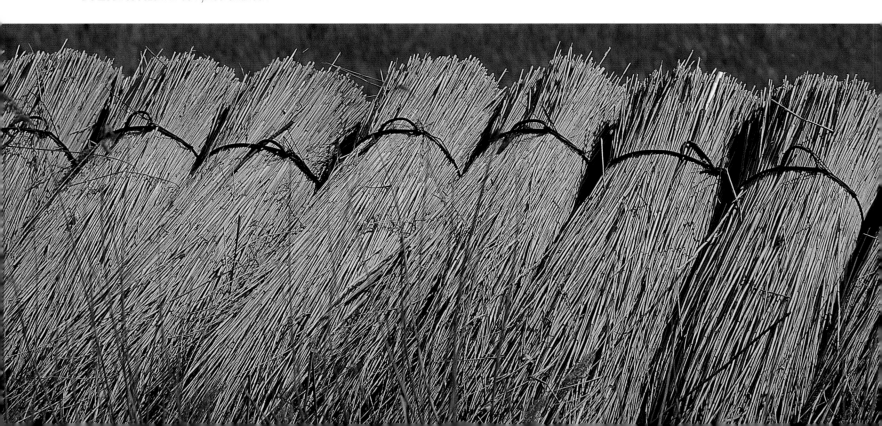

De Zouweboezem inde Vijfheerenlanden

Bergambacht

De Lek bij Kinderdijk

Jaarsveld aan de Lek

Roeien op de Amstel

De Alblasserwaard

De Westeinderplassen bij Burgerveen

Woerden

# STAD EN LAND: TWEE ZIELEN IN ÉÉN HART

Bij het Groene Hart denken we in de eerste plaats aan koeien en knotwilgen, maar het Hart is ook een echt stedenland. Niet alleen de grote steden van de Randstad getuigen van Nederlands roemrijke geschiedenis, maar ook kleinere steden als Gouda en Woerden, Schoonhoven, Haastrecht, Oudewater en Montfoort.

Stad en land – nergens komt een stadsprofiel mooier tot zijn recht dan in een groene, vlakke omgeving. En dan heb ik het niet over een metropool, met zijn buitenwijken en overgangsgebieden. Het zijn kleine steden die de wandelaar het grootste naderingsgenoegen bieden, provinciesteden waaraan de vaart der volkeren een beetje voorbij is gegaan. Wat nu de nieuwste slogan is op ruimtelijke-orde-ningsgebied, de 'compacte stad', was in vroeger eeuwen een van-zelfsprekend beginsel. Geen suburbs, geen uitgestrekte rommelige overgangszone, maar een duidelijk dualisme van stad en land. In het Groene Hart is die tegenstelling op veel plaatsen nog bewaard.

Maar vanzelfsprekend is zij niet meer. Door de decentra-lisatie van de besluitvorming neemt het risico toe dat het Groene Hart gaat lijken op het Belgische platteland, en wordt volgezet met *fermettes*: iedereen zijn eigen huisje-met-erf. Of op de eindeloze *urban sprawl* van Los Angeles. Om net te doen alsof de overheid dat ook zo bedoeld heeft, grossieren instanties in slogans als 'raster-metropool', 'stedelijk veld' en 'stedenland-plus'. Als de Randstad zich inderdaad ontwikkelt tot een 'Los Angeles-model', zal het Groene Hart ophouden te bestaan. Een arriverend luchtreiziger zal dan ergens boven Naaldwijk of Nieuwegein de eerste stedelijke bebouwing onder zich zien, die zich daarna zonder herkenbare onderbrekingen

voortzet tot Amsterdam. West-Nederland is dan veranderd in een grijze totaalmix: een onafzienbaar 'stedelijk parklandschap', een soort pointillistisch schilderij van woonwijkjes, stadsparkjes, bedrijventer-reintjes en natuurgebiedjes, compleet met bufferzones om de 'over-gangen te geleiden'. In en aan de natuurgebieden nieuwe 'landgoed-villa's' om het geheel betaalbaar te maken en welvarende Nederlanders de behuizing te bieden waar zij recht op hebben.

In het Groene Hart is die ontwikkeling al duidelijk gaande. 'Vroeger kwam je uit het land, pats de stad in,' zegt planoloog Riek Bakker in de interviewbundel *Vergezichten* (1994). 'Dat is niet meer zo. Alles gaat op alles lijken en straks worden we d'r allemaal kots-misselijk van. Ik vind het goed om uitersten op te zoeken, ik denk ook dat dat interessant is. Mensen willen graag kiezen: je hebt stads-ratten en je hebt mensen die absoluut naar buiten willen. Als je die twee dingen maximaal kunt maken ben je volgens mij goed bezig. Ik vind dat we dat in Nederland in onvoldoende mate doen, naar beide kanten.'

Riek Bakker begint de discussie over het Groene Hart 'een beetje schijnheilig' te vinden: 'Aan de ene kant roepen we kei-hard "Afblijven!" Aan de andere kant zie je dat er bij allerlei steden zoveel wordt bijgetekend dat we toch aardig op weg zijn om het te laten dichtslibben. Als we alles in die Randstad willen stoppen, wordt het huisje, boompje, beestje, van alles wat, en alles bij elkaar is het weer net niks. Kies dan liever voor de twee extremen. Bouw echt hoog-stedelijk. Daartegenover staat dat je dan stukken kunt maken die héél natuurlijk en héél erg landelijk zijn.'

Bij de brug over de Hollandsche IJssel in Oudewater

Bij de brug over de Oude Waver in Stokkelaarsbrug

Bij de brug over de Hollandsche IJssel in Hekendorp

Polder Neder-Slingeland

Leerbroek

Noordeloos

Noordeloos >

Meerkerk

Giessenburg

Giessenburg

Polsbroekerdam

Brandwijk

# HOBBYBOEREN IN EEN KUNSTHART?

Het Groene Hart is vruchtbaar en gunstig gelegen, en vormt al eeuwen een toonbeeld van Hollands welvaren met dikke boeren en welvarende steden. Maar nu de landbouw minder toonaangevend wordt, en de stad bij wijze van spreken om de hoek ligt, doet een nieuw soort rijkdom zijn intree in het Hart. Loop eens langs de Vinkeveense, Nieuwkoopse of Reeuwijkse plassen en strijk neer op een terras. Dit voorjaar betaalde ik in zo'n uitspanning dertig gulden voor drie glazen jus d'orange. Een riks per slok. Niks voor mijn vader, die me de liefde voor het Hart bijbracht, met een ijslolly als grote traktatie voordat we in de bus stapten voor de terugweg.

Met een beetje geluk zie je nog een boerin voorbijfietsen, voorovergebogen over het stuur, in een lange blauwzwarte jurk met bloemetjesmotief. Maar in de namiddag draait een stoet van Saabs en BMW's behoedzaam de smalle kaden op, de bruggetjes over. Gebruinde mannen achter het stuur – maar niet van het werk op het land, ze hebben de telefoonhoorn in de hand. Ze draaien het erf op van een spic & span wederopgebouwde boerenhoeve, de contouren strak en scherp in het harde namiddaglicht. Affer dan af, over alles nagedacht, nergens een ongerechtigheidje, overal is de kruimeldief net overheen geweest.

Heeft dit nog iets met het authentieke Hart te maken? Eerder is het een *hyperreality*, een gekunsteld beeld van iets dat in feite niet meer bestaat. Is het daarom ook lelijk? Dat hangt er maar van af. Over een paar jaar vinden we het misschien doodgewoon, typisch Groene Hart. En mooi wil ik het nu misschien al noemen – als ik bedenk wat er óók had kunnen staan.

In hun sleeën rijden ze voorzichtig voorbij, ze houden in voor die boerin en stoppen om de eendjes te laten oversteken. Op hun manier koesteren ook zij het Hart – ze wonen niet toevallig hier. Nou goed dan, laat die reclameboys en consultants het dan maar onderhouden, als ze het maar met smaak doen, niet te veel molenstenen in de tuin en zo. Dan maar nepperig, als het maar nep met smaak is. Dan komen wij wel langsgeschuifeld om ons te verpozen en te vergapen. En om te trouwen bijvoorbeeld. Het Groene Hart wordt een decor voor alles en nog wat – letterlijk, zoals een fotograaf vroeger een kunstmatig landschap in zijn studio had staan. Trouwen in zo'n schattig stadhuisje. Een 'landgoedvilla' bewonen aan de plas.

Met dat al zijn we nog niet van de vraag af: als het Groene Hart toekomst heeft, is het dan nog wel het echte Groene Hart? Die vraag dringt zich niet alleen op als je naar de nieuwe bewoners kijkt, maar ook als het om de oorspronkelijke bewoners gaat: de boeren.

Ook – of juist – als een boerderij eruit blijft zien als de hofstee van Ot en Sien, met koetjes in de wei en wroetende varkens, kun je de vraag stellen: is dit nog *the real thing*?

Juist bij zulke superpittoresk ogende boerenbedoeningen kun je er donder op zeggen dat er een boer woont met 'neven-bedrijvigheid', zoals het in de subsidienota's heet. Een boer met een slaapzaal waar vroeger de koeien stonden, en nog een paar koe-beesten en schattige lammetjes om te aaien. Een boer die een 'beheerovereenkomst' met de overheid heeft gesloten en eigenlijk een soort park- en vogelwachter is geworden. Een boer wiens weilanden aan alle kanten zijn 'opengelegd' en 'ontsloten' voor recreanten, tevens voorzien van prullenbakken, picknicktafels en bordjes die aangeven dat wat we hier zien een koe is. In het voorjaar kun je in alle vroegte met hem mee op zoek naar kievitsnesten. Niet om eieren te rapen, natuurlijk niet, maar om eieren te téllen! 'Vogeltjesland', zo noemen de boeren het gebied waar ze aan 'agrarisch natuurbeheer' doen. Ze krijgen een vast bedrag per in hun weiland gelegd ei. Een kievitsnest levert vijftig gulden op, een gruttolegsel zelfs honderdvijftig. Slootkantbeheer werkt op dezelfde manier: een kwartje per strekkende meter, en een kwartje extra als er bepaalde plantensoorten voorkomen.

Mooi is het allemaal wel – maar authentiek? Ook hier kun je spreken van een *hyperreality*, een kunstmatige plattelandsidylle. En ook hier verdient de vraag 'is dat erg?' een genuanceerd antwoord. Zoals gegeven door een boer die als nevenbedrijf zomergasten heeft, en die de vraag kreeg voorgelegd: 'Vind je het niet vervelend als ze zeggen dat je een kinderboerderij hebt?' Zijn antwoord, in de NRC geciteerd door Ileen Montijn: 'Ik kan wel ergere dingen bedenken dan een kinderboerderij.' Nevenwerkzaamheden zijn trouwens niets nieuws voor de boeren in het Groene Hart. De eerste mensen die zich daar vestigden, beoefenden een hele reeks bezigheden: 'visschen ende vogelen, bouwerije, spitten, hacken, houwen, tuynen, dijcken ende dammen'.

Intussen zijn er niet alleen hobbyboeren in het Hart. Andere boeren zijn overgeschakeld op extensieve landbouw zonder bestrijdingsmiddelen. Ze produceren 'veenweidekaas', biologische melk en andere producten die schoon en vers kunnen worden verkocht in de steden rond het Hart. En dan is er ook nog een totaal nieuwe en unieke bedrijvigheid mogelijk geworden door de recente temperatuurstijging: een hele serie wijnboeren heeft zich gevestigd in de Alblasserwaard! Of deden ze daar vroeger ook al aan? Er ligt daar een dorpje Wijngaarden.

Noordeloos

Brandwijk

Plantenteelt in de Tempelpolder bij Boskoop >

Polder bij Rijpwetering

**2,3m**

bij
draaiende
molenwieken

Kanosteiger

LAWAAI !     SNELHEID !

OVERLAST !

WILT U VOLGEND JAAR
HIER OOK NOG RIJDEN?
RIJ DAN NIET IN GROEPEN
EN PAS UW SNELHEID
EN GELUID AAN!

Ottoland

Grutto

# DIEREN IN HET HART: 'GRUTTO-MAAIDAG'

'Nergens op mijn hele reis zag ik zoveel dieren als in het Groene Hart,' schreef ik in het verslag van mijn pelgrimstocht vanuit Spanje naar Amsterdam. Ook rond de woonboot in de Kaag is de dieren- rijkdom indrukwekkend. Alleen al op de wandeling van de parkeer- plaats naar de boot, niet meer dan vijf minuten, tref ik met een beetje geluk futen, aalscholvers, reigers, koeten, eenden, schapen, scholeksters, koeien, kikkers, zwanen, ganzen, hazen, wulpen en grutto's aan, plus tot voor kort Kaagman, mijn petekat zaliger.

Koos van Zomeren beschouwt de aanwezigheid van al die beesten als iets typisch Nederlands: 'Ik zou het bijna tolerantie noemen, als een boer zolang hij er geen directe hinder van onder- vindt, gewoon dieren op zijn land laat zitten. Dat is hier meer dan in andere landen. Wij hebben jagers, maar dat is toch bijna een onder- grondse. Die mensen kunnen zich nauwelijks vertonen, behalve als ze lid zijn van het Koninklijk Huis. Wij hebben dan niet zoals in Engeland een cultuur van vogels kijken, van dassen vertroetelen. Maar wel van: laat die beesten toch. Dat zeg je ook als je kinderen eenden ziet pesten: laat die beesten toch!'

Maar ondanks die verdraagzaamheid signaleert Van Zomeren een jaarlijkse massamoord in het Groene Hart. En nog wel een moord op een van de meest kenmerkende weidevogels: de grutto. 'De laatste dagen van april, de eerste week van mei, dan weet je dat honderden jonge grutto's worden doodgemaaid. Als je er geen verstand van hebt, zie je het niet. Integendeel: je ziet op zo'n dag meer grutto's dan op de dag ervoor of de dag erna, want die beesten hangen alarmerend boven die tractor omdat ze hun jongen verloren zien gaan. Als die cyclomaaier laag over de grond gaat,

stijgen de volwassen grutto's op en slaan alarm. De jongen drukken zich op de grond en houden zich onbeweeglijk. Die cyclomaaier slaat het gras er met een klepel af, die jongen verdwijnen dus in een soort gehaktmolen.

'Er is een grote groep boeren die het niet leuk vinden om in een slachthuis te werken. Die stappen af, pakken beesten op, gooien ze over de sloot en rijden verder. Zo moet het ook. Laatst schreef iemand: één gruttopaar in het boerenland zegt mij meer dan tien in een reser- vaat. Die ene in dat weiland zegt iets over de instelling waarmee de boer zijn land bewerkt. Die tien in het reservaat zitten in het gebied dat binnen onze economie voor ze is vrijgemaakt. Daarbuiten kunnen ze doodgemaakt worden. Daarbinnen worden ze dan vertroeteld omdat het echte natuur is.'

Sinds het midden van de jaren zestig is het aantal grutto- broedparen in Nederland afgenomen van 125.000 naar 70.000. Natuurpropagandisten vinden dat niet zo erg, weet Koos van Zomeren. 'Het is toch maar een cultuurvolger, en dan ook nog een late. Eentje uit de jaren zestig. Maar ik vind het essentieel dat er grutto's zijn. Joggen en hard fietsen kan waarschijnlijk met dezelfde kwaliteit als wanneer die grutto's weg zijn, maar wandelen niet. Voor mij is de essentie van de grutto dat ik de hele winter in een tweedimensionaal landschap heb gezeten, en als de winter dan over is, komt er meteen zo'n grutto 'grutto, grutto, grutto' roepen en geeft een derde dimensie aan het landschap. Het kan mij geen hol schelen of je dat natuur noemt of geen natuur.

'Als ze dan moeten worden doodgemaaid, dan zullen we het allemaal weten ook. Laat het dan maar 'grutto-maaidag' worden in Nederland.'

Hei- en Boeicop

Polsbroek

Polder Over-Slingeland >

Reiger

< Fuut met jongen

Aalscholver

Polder de Ronde Hoep

Boskoop >

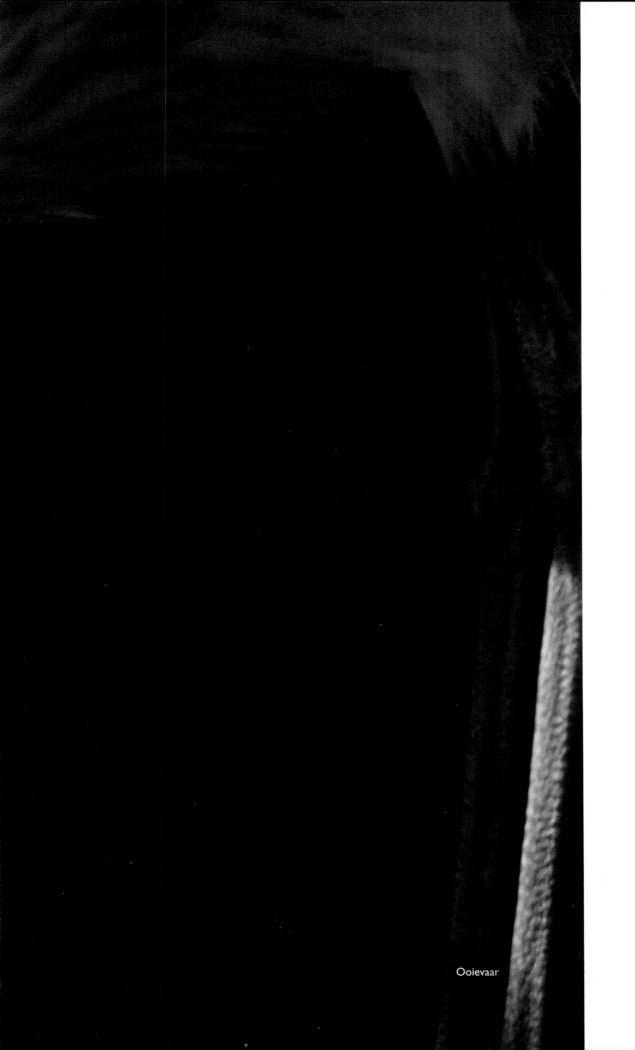

Ooievaar

In de uiterwaarden langs de Lek

Langs de Drecht bij Vriezekoop

# MENSEN IN HET HART:
# DE ZONERING VAN VISWATER JANSEN

Hildebrand en zijn kornuiten huurden in 1839 hun schuitje vlak buiten de 'boom' ter hoogte van de stadspoort. Tegenwoordig moet je wat verder voor je bij je bootje bent, maar voor het overige is er niet veel veranderd. Je pakt je fiets, rijdt de stad uit. Rechts dalen en stijgen de vliegtuigen in staccato-tempo. Links verheffen zich de futuristische bouwsels van het nieuwe zakencentrum. Vóór je ligt de vrije ruimte van de Ronde Hoep-polder. Langs de stille kant van de Amstel naar Ouderkerk, verder langs de Bullewijk en bij de Voetangel rechtsaf de Waver langs. In Stokkelaarsbrug even naar links, bij boerderij Jansen onder aan de Winkeldijk een roeiboot huren, en anderhalf uur na vertrek uit hartje Amsterdam dobber je in de Botshol, een moerasgebied dat er nog bij ligt alsof er nooit een mens was verschenen.

Vooral buitenlandse bezoekers zijn onder de indruk, maar eigenlijk sta ik zelf ook iedere keer weer versteld dat dit midden in de Randstad mogelijk is. De Botshol is een parel aan de kroon van de Nederlandse ruimtelijke ordening. In de broedtijd mag je er niet in, verder zijn er geen expliciete regels of voorschriften. Hier en daar zie je een vermolmd houten bordje *Viswater Jansen*, dat is alles. Af en toe schuift in de verte een ander bootje voorbij; soms zit daar een stel blote mensen in. Al twintig jaar geleden kwam hier een spontane vorm van nudisme van de grond, zonder dat daar woorden aan vuil werden gemaakt. Behalve dan door de zoon van de boer, die over de bootjes ging, en nooit naliet een vettige opmerking te maken over 'de zaligheden van een roeischuitje met de schoone sekse', zoals Hildebrand het uitdrukte.

Maar een paar jaar geleden waren er opeens nieuwe bordjes verschenen. *Rustplaats voor het waterwild* stond er op. De Botshol is een grillig geheel van grotere en kleinere plassen, kreken en doorsteekjes. Maar wat ik ook roeide, steeds werd me de doorgang versperd door in het water drijvende boomstammen, vastgeklonken aan stevige palen en voorzien van zo'n vermaledijd bordje. Na een paar uur moest ik met blaren op m'n handen vaststellen dat er feitelijk nog maar één corridor open is. De *zonering* is begonnen.

Waar moet dat heen? Nog even en er verschijnen nieuwe bordjes: 'Rondje Botshol', met eenrichtingverkeer.

Mensen in het Hart – ze worden niet weggemaaid, maar ook voor hen gaat een tweedeling gelden. Aan de ene kant heb je het boerenlandschap. Daar mogen we in, wat heet: we móéten er in. Niet om te wandelen of te fietsen, dat deden we altijd al. Nee, 'recreëren' moeten we. En wie dacht dat dat zomaar spontaan kan, die vergist zich. Een probleem van het veenweidenlandschap schijnt te zijn dat het zo moeilijk toegankelijk is. Uit overheidsnota's krijg je de indruk dat het nu godsonmogelijk is om op eigen houtje het Groene Hart te doorkruisen. Gek. Nooit wat van gemerkt. Nooit ruzie gehad met boeren als ik over hun land liep. Als je het hek maar achter je dicht doet. Maar met het oog op verantwoorde openlucht-recreatie moet het Groene Hart dringend worden 'ontsloten' en 'opengelegd', onder andere door de aanleg van nieuwe 'route-structuren'. En ook het landschap zelf moet worden aangepast. In 1995 bepleitte landschapsarchitect M. Vroom een ruimtelijke inrichting met 'reeksen van ruimten', van klein naar groot, 'met op geselecteerde plaatsen verre uitzichten'.

Terwijl dus het ene deel van het Hart op de schop gaat om het zo toegankelijk te maken dat je er bij neervalt, wordt het andere deel gezoneerd en omgeploegd tot 'nieuwe natuur', waarmee het voor het publiek juist minder toegankelijk wordt. Naar natuur mogen we kijken, maar in komen niet.

Nu heeft geen enkele liefhebber van het Groene Hart behoefte aan drukte. Die wil hij juist achter zich laten in de stad. Mensen in het Hart zijn oké: ikzelf en een paar anderen, maar daar moet het bij blijven. Koos van Zomeren zegt wel eens badinerend: 'Ik hoop dat de mensen die mijn stukjes lezen lekker thuis blijven, want ik wil ze liever niet tegenkomen. Ik hoop een soort plaatsvervangende natuurbeleving te kunnen verzorgen. Toen ik hier in zesenzeventig begon te wandelen, toen was het echt een uitzondering als ik iemand tegenkwam. Nu kun je hier op een vrij normale wandeling, dus niet op zondagmiddag, in een uur twintig mensen tegenkomen.'

De Roemer bij Boskoop

Hei- en Boeicop

Bij Oude Ade

Nieuwe Wetering

Molenaarsgraaf

< Roerdomp

De Kamerikse Nessen

De Nieuwkoopse Plassen

Nieuwe Wetering

# BOEREN VERSUS NATUURBESCHERMERS: DE GROTE UITRUIL

Dat het Groene Hart door mensen is gemaakt, is in het huidige denken over landschapsinrichting geen voordeel. Nederland is in de greep van de 'nieuwe natuur', en van weilanden wordt aangenomen dat ze weinig 'natuurwaarden' hebben. Weilanden zijn weliswaar groen, maar toch niet meer dan 'Heugafeltgroen'. Als we niet oppassen worden weilanden echt 'vogelvrij'. Je mag ze recht trekken voor industriële landbouw, onder water zetten, volzetten met woningen, bomen of bedrijven, of aanharken tot recreatiegebied. Als je er maar voor zorgt dat een deel van die weilanden tot 'nieuwe natuur' wordt omgeknutseld. Zo rechtvaardigde de provincie Zuid-Holland het besluit om ruim 16.000 woningen te gaan bouwen in de Alblasserwaard en Vijfheerenlanden, met een verwijzing naar het plan om een groot natuurgebied aan te leggen tussen de Botshol en de Nieuwkoopse Plassen: De Nieuwe Venen.

Sinds 1990 is het creëren van 'nieuwe natuur' officieel regeringsbeleid. Wie in Nederland groen gebied een andere bestemming geeft, moet dat tegenwoordig elders 'compenseren'. Hoe 'hoogwaardiger' het groen dat je als vergoeding biedt, des te meer kun je bouwen. Aan weilanden heb je dan niks. Daardoor werkt de compensatiemolen heel selectief, en gaat zij ten koste van het open karakter van het Groene Hart. Want wat als weiland de molen in gaat, komt er steevast uit als bos of 'nieuwe natuur'. Het omgekeerde gebeurt nooit: ter compensatie worden nooit nieuwe weilanden aangelegd. Groen is natuur, en natuur is in Nederland moeras of bos. Willen we het Hart groen houden, dan moeten we het dus eerst vermommen als bos. Diepe geheimzinnige wouden moeten er komen in dat arme Groene Hart. Veel nieuwe bossen, zoals het Bentwoud tussen Zoetermeer en Waddinxveen, dienen als buffer tussen stedelijke agglomeraties. Nu traditionele ruimtelijke-ordeningsinstrumenten op grote schaal worden ontdoken, gebruikt de overheid de aanleg van bos- en natuurgebieden als paardenmiddel om het verder aaneengroeien van bebouwing tegen te gaan. Natuurlijk worden de nieuwe bossen volledig 'opengelegd' en ruimschoots voorzien van wandel-, fiets-, ruiter- en natuurleerpaden.

Dat is dan de 'gebruiksnatuur'. Daarnaast heb je de echte Natuur, da's een andere zaak. Daarin sprankelt nog een vonk van het ware, het oergebeuren. 'Natuur' heeft de wind mee, zegt de vrijetijdssocioloog Jaap Lengkeek. Langzamerhand is alles onttoverd; natuur is het enige dat nog een vleug van echtheid belooft. Daarom moet de mens er met zijn tengels afblijven.

Koos van Zomeren constateert dat op het ministerie van Landbouw op het ogenblik 'een kolossale uitruil' plaatsvindt: 'De ene helft, dat zijn de boeren. Die mogen we dan ook niet meer lastig vallen met grutto's of met de kwaliteit van het slootwater. De andere helft zijn de natuurbeschermers, tegen wie wordt gezegd: hier hebben jullie je grootschalige reservaten. Maar ik zal tot mijn dood bestrijden dat je in die reservaten puur natuur kunt maken, want dat bestaat

gewoon niet in Nederland. Nieuwe natuur is net als nieuwe Dreft, het is een reclameterm, geschikt voor politieke marketing.'

Ook onder de boeren is niet iedereen bereid het kunstmatige onderscheid tussen natuur en boerenland, en de daarbij horende 'uitruil', voetstoots te accepteren. Koos van der Geest, veehouder op boerderij *Het Klaverblad* in Warmond, vindt die rigoureuze scheiding 'onzin'. *Het Klaverblad* is een prachtige boerderij uit 1875, gelegen in het Adegebied. Dat is het eerste gebied in Zuid-Holland waar de boeren het voor elkaar kregen dat er wel een beheersregeling kwam, maar geen reservaatsgebied. Met andere woorden: in het Adegebied wordt geen land aan de agrarische bestemming onttrokken.

Een beheersregeling wil zeggen dat het rijk de boer een bijdrage levert in ruil voor ecologisch beheer. In beheergebieden staat het Hart er prachtig en rijk bij: er bloeit en vliegt van alles en er grazen ook nog koeien. De traditionele diversiteit – aan grassen bijvoorbeeld – wordt gehandhaafd, evenals de bestaande perceelstructuur: sloten en greppels worden niet dichtgegooid. Er mag niet vóór 1 juni worden gemaaid – ook niet als bij heel mooi weer de verleiding groot is – waardoor grutto-maaidag wordt vermeden. De naleving van deze regels wordt gecontroleerd – overtredingen leiden tot korting op de beheervergoeding.

Aanvankelijk wilde de provincie in het Adegebied ook reservaatsgebieden aanwijzen waar 'nieuwe natuur' moest komen. Reden was dat de weidevogelstand achteruit holde, zeiden de ambtenaren. Als antwoord richtten de boeren een Streekcommissie op, die onderzoek liet doen naar de vogelstand in weidegebieden. 'Daarmee konden we aannemelijk maken dat vogels juist afkomen op boerenland: daar valt wat te halen,' zegt Van der Geest. Zelf is hij tien jaar geleden begonnen met nestbescherming en een beheersregeling. De vogelnesten worden met stokjes gemarkeerd en bij het maaien ontzien. Pas toen hij daarmee begon merkte hij hoeveel vogels er op zijn land zitten. Hij heeft niet voor al zijn land een 'zware' beheerovereenkomst afgesloten: een deel moet vóór 1 juni beschikbaar zijn. De koeien moeten immers ook in het voorjaar eten, en naar buiten. Koeien geven meer en betere melk als je ze wat jonger gras geeft. 'Ik maai meestal eerst de percelen waar weinig vogels zitten. Dat weet ik, want dezelfde vogels komen ieder jaar naar dezelfde plek terug. Het gedeelte waarvoor ik wel een 1 juni-regeling heb, daarvan merk ik dat er meer vogels komen. Na een paar jaar weten ze dat ze op die plek met rust worden gelaten.'

Een nieuwe uitdaging voor de boeren in het Adegebied doet zich voor nu de hogesnelheidslijn dwars door de streek komt te lopen. Om het weidegebied dat daardoor verloren gaat te compenseren, stelt het rijk geld beschikbaar. Geheel volgens de werking van de compensatiemolen is dat geld bedoeld om grond aan te kopen voor natuurontwikkeling, waardoor nog weer meer land aan agrarisch gebruik zou worden onttrokken. Maar ook nu houden de plaatselijke boeren het been stijf: ze bedanken voor de eer om op deze manier dubbel te worden gepakt. Koos van der Geest: 'In het Adegebied hebben we gezegd dat we die stroom geld anders willen gebruiken. We maken er kleinschalige natuurelementen mee in agrarische grond die door de boeren ecologisch wordt beheerd. We denken bijvoorbeeld aan natte verbindingszones en terrasoevers. Dingen die niet zoveel inbreuk maken op het boerenlandschap. En die niet zoveel grond aan de landbouw onttrekken.'

De compensatiegelden zijn enorme bedragen, die nu eenmaal beschikbaar zijn omdat de politiek dat in de 'uitruil' zo heeft geregeld. Vaak weet de overheid nauwelijks in welke projecten ze al dat geld kwijtkan. Het rijk zal het 'worst wezen', heeft Van der Geest gemerkt, dat is al lang blij als het aan zijn verplichtingen voldoet en compensatiegeld kan 'wegzetten'. Ook met andere plannen voor nieuwe natuur zijn honderden miljoenen guldens gemoeid. Daarnaast worden er enorme bedragen gestoken in 'braaklegsubsidies'. Allemaal geld dat we ook zouden kunnen gebruiken om de landbouw in het Groene Hart als levensvatbare sector te redden. Wil je werkelijk 'duurzame plattelandsontwikkeling', gebruik die miljoenen dan om boeren te begeleiden bij de overschakeling naar schone, extensieve en meer ambachtelijke landbouw die tegemoetkomt aan de vraag naar verse en natuurlijke producten.

Tot nu toe worden de mogelijkheden daartoe nog weinig benut. Roos van Schie, die in haar afgelegen boerderij *De Eenzaamheid* in de Zwanburgerpolder kaas produceert, vertelt dat alles afhangt van de winkelketens. Durven die het aan om hun klanten wat meer te vragen voor ambachtelijke en 'schoon' bereide kaas? Probleem is ook dat de producenten nog in de 'tussen tafellaken en servet' fase zitten. Ze willen hun producten graag afzetten via de supermarkten, maar de supermarkten zijn bang dat ze niet genoeg produceren om aan de vraag te voldoen.

*De Eenzaamheid* is majestueus gelegen op een eiland in de Kagerplassen. Roos' man Jan is er geboren. Ze hebben een beheerovereenkomst voor hun hele gebied: nesten worden gemarkeerd en ontzien. Daarnaast zijn ze onlangs 'ecologisch' geworden. Maken nu biologische kaas, en zijn daarmee toegetreden tot een goed werkend netwerk. Op de melk verliezen ze nog, ze hebben in de buurt nog geen mogelijkheid gevonden voor biologische verwerking. Ook in dit opzicht lijkt het succes van de ecologische aanpak afhankelijk van de snelheid waarmee een grootschalige sector met een brede 'dekking' tot stand komt.

Stolwijk

Polder Neder-Slingeland

Polder Neder-Slingeland                                    Brandwijk

Polder Neder-Slingeland

Polder Neder-Slingeland

< Zwanburgerpolder nabij Warmond

Bij het Vennemeer, Oud- Ade

De Amstel

Langs de Lekdijk

# LANDBOUW EN NATUUR: 'ZOALS MIJN OPA BOERDE'

Het was stom toeval dat we er terechtkwamen. Of misschien ook niet, want een mooier plekje is in het hele Hart nauwelijks te vinden. Op een winterse dag waren we van de Meije afgedwaald om via Zegveld naar Woerden te lopen, de toren lokte ons al in de verte. Ten zuiden van Zegveld pikten we de Rietveldse Kade op, het verlengde van de Meijekade, prachtig met knotwilgen begroeid. Ten slotte sloegen we af en liepen over zo'n eindeloze, besneeuwde kavel naar Nieuwerbrug aan de Oude Rijn.

Een paar maanden later, bij Koos van der Geest aan tafel, valt de naam Rietveldse Kade opnieuw. We zitten in het 'zomerhuis' van *Het Klaverblad*, eigenlijk niet meer dan een kleine voorkamer. Ooit liep hier een paardje zijn rondjes, om de schep in de karnton aan te drijven. Die stond in het winterhuis, met de tredmolen verbonden via een as. Het uitzicht is adembenemend: wel vijf of zes kleuren groen, koeienbespikkeling, onafzienbaar veel lucht, waartegen molens afsteken en de eigenwijze neogotische torenspitsjes van Oud-Ade en Rijpwetering.

Maar het Groene Hart kent vele graden van schoonheid. Ook Koos geeft toe: de Rietveldse Kade daar achter Zegveld is onovertroffen. Het is de tocht waar de kavels van de boerderijen aan de Meije en die van de Oude Rijn elkaar raken. Langere kavels zijn er in het Hart nauwelijks te vinden; de weidsheid is indrukwekkend, maar aan de kade zelf, met zijn weelderige begroeiing, is het besloten, bijna knus.

Koos kreeg met de Rietveldse Kade te maken in het kader van zijn nevenwerkzaamheden. Niet alleen runt hij samen met zijn broer Paul *Het Klaverblad* – daarnaast wordt hij ingehuurd als coördinator van landinrichtingsprojecten. Een van die projecten is *De Meije*. Ook daar wil de provincie een onderscheid aanbrengen tussen agrarisch land en natuur. Het natuurreservaatgedeelte komt onder beheer van Natuurmonumenten. Er moet daar 'blauwgrasland' komen, vertelt Koos, 'heel schraal gehouden grond waar je dan een begroeiing krijgt met zo'n blauwe waas erover door de plantjes die tussen het gras groeien. Maar het is Staatsbosbeheer nog in geen honderd jaar gelukt om die te realiseren.'

Om in het reservaatgedeelte natuurontwikkeling op gang te brengen, zijn allerlei ingrepen nodig in het boerengedeelte, vertelt Koos, en dat heeft grote gevolgen voor de Rietveldse Kade. Natuurontwikkeling vereist een hoog waterpeil. Er wordt voor het natuurgebied dus een apart waterpeil opgezet, wat de aanleg van dammen en andere infrastructuur nodig maakt. Hij wijst het aan op de kaart: 'Zie je al die slootjes? Het zijn er heel veel, omdat de kavels hier zo lang en smal zijn. Al die slootjes moet je afdammen, zodat je bij de

Rietveldse Kade een brede hoogwatersloot kunt graven om voldoende wateraanvoer voor het natuurgebied te garanderen. Die prachtige intieme waterloop ben je dan kwijt, en het is ook schadelijk voor de oude kavelstructuur. Je bent dan cultuurhistorisch de zaak aan het vernielen. Verder moet er een lelijke defosfatiseringsinstallatie worden gebouwd, het natuurwater moet immers honderd procent puur zijn – terwijl de waterkwaliteit de afgelopen twintig jaar al enorm is verbeterd.' Als klap op de vuurpijl moet langs de nieuwe hoogwatersloot ook nog een weg worden aangelegd, zodat Natuurmonumenten zijn nieuwe bezit kan bereiken. Want zo 'echt' is de aan te leggen natuur nu ook weer niet dat ze het zonder maaien en andere beheerwerkzaamheden kan stellen.

Volgens Koos van der Geest kan het ook anders. 'De achterkant van die percelen, grenzend aan de kade, werd altijd al matig bemest, die had altijd al een beetje een natuurkarakter. Er stond wat boerengeriefhout: ruige wilgenbosjes die beurtelings werden geknot. Ik herinner me nog hoe mijn opa boerde: achter op de percelen kwamen nooit melkkoeien en ook geen mest. Als je daar aankwam was je mestkar al leeg. Een boer heeft altijd wel wat jongvee en droogvee lopen dat hij daar kwijtkan.

'Tegenwoordig kun je door nieuwe technieken alles bemesten. Maar als je weer een beetje teruggaat naar die oorspronkelijke situatie, en de boeren het beheer laat doen, heb je die nieuwe weg langs de kade niet nodig. Dan kunnen de boeren die gedeelten gewoon over hun eigen kavels bereiken. Die brede tocht en die dammen kun je dan ook missen, want dan kun je met één waterpeil volstaan. Boeren willen een zo laag mogelijk peil, natuurbeschermers een zo hoog mogelijk peil. Je moet dus gaan ''polderen'' om één peil er zo'n beetje tussenin te krijgen.'

Koos is niet de enige die er zo over denkt. Ook aan de Meije bestaat nu een Vereniging voor Agrarisch Natuurbeheer, *De Parmeij*. 'De leden willen geen scheiding maar verweving van functies: je doet wat voor de natuur, maar die kun je intussen wel agrarisch gebruiken.' *De Parmeij* heeft het voor elkaar gekregen dat twee jaar geleden een proef werd gestart met natuurlijk beheer van die achterste percelen. Daar wordt totaal niet bemest, de grond wordt echt verarmd. De boeren krijgen daarvoor een vergoeding. Er is geld genoeg, als je de enorme bedragen die beschikbaar zijn voor 'nieuwe natuur' aanspreekt.

Dus weg met de nieuwe natuur – leve de nieuwe landbouw! Landbouw én natuur. Hoe heet dat ook alweer in polder-Nederland? Een win-winsituatie. Een beetje winst voor alle partijen – en een grote stap naar de redding van het Groene Hart.

Hogebrug

Hogebrug

Driebruggen

De Alblasserwaard

Driebruggen

ik wakker, terwijl ik 's ochtends vroeg weer in de auto moest stappen en zo'n vier uur op de weg zat, onderweg naar cliënten die ik begeleidde als reïntegratietherapeut. Achteraf gezien levensgevaarlijk. Toen ik drie weken bijna niet had geslapen, zat ik er zó doorheen, dat ik 's nachts om drie uur naar de Eerste Hulp ben gereden en huilend heb gevraagd of ik slaaptabletten kon krijgen. De volgende ochtend ging ik direct naar de huisarts. Omdat mijn eigen huisarts op vakantie was, kwam ik bij zijn vervanger terecht. Die vertelde me dat ik veel te snel had afgebouwd en weer volledig terug moest op de antidepressiva. Ik kreeg een ander middel voorgeschreven, venlafaxine. Misschien dat ik hiervan minder bijwerkingen zou hebben, was het idee. Al snel werd ik rustiger, ik kon weer slápen en voelde me beter. Maar op mijn werk was het kwaad al geschied: door het slaaptekort en mijn concentratieproblemen had ik weken slecht gefunctioneerd. Mijn jaarcontract werd niet verlengd."

### Poging twee

"Gelukkig vond ik snel een andere baan, op kantoor, met collega's. Hoewel ik ook van de venlafaxine flinke bijwerkingen had - jeuk, gordelroos, obstipatie, geen libido, misselijkheid, en ik kwam nóg eens twee kilo aan - durfde ik er niet mee te stoppen, bang dat het weer mis zou gaan en ik ook deze baan zou verliezen. Dus slikte ik de medicatie door, anderhalf jaar lang. Maar toen ik vorig jaar augustus, door een reorganisatie, werkloos thuis kwam te zitten, besloot ik: nú is het moment om te stoppen. In overleg met mijn huisarts halveerde ik de dosering. Twee weken lang ging het goed. Volgens de huisarts kon ik nu helemaal stoppen met de medicatie, wat ik ook deed. De dag daarna begon het: migraineachtige hoofdpijnen, pijn aan mijn pupillen, heftige stroomstoten door mijn hele lichaam. Ik kreeg ook een soort griep, was kotsmisselijk en had last van evenwichts-

## 'Pas toen ik stopte
### merkte ik hoe afgestompt je raakt door die medicatie'

stoornissen. En na een paar dagen begon ook die verschrikkelijke slapeloosheid weer en lag ik weer nachten te piekeren. Maar ik wist: als ik nu niet doorzet, komt het er nooit van. En de enige reden dat ik kón doorzetten, was dat ik geen baan had. Ik lag drie weken in bed, leefde op gemakkelijke maaltijden en lag af te kicken als een junk. Tot na een week of drie die extreme hoofdpijn eindelijk wegebde en de symptomen minder werden. Langzaam voelde ik me weer mens. Ik heb daarna nog drie maanden lang stroomstootjes in mijn lichaam gevoeld en nog ongeveer een half jaar heel slecht geslapen, gemiddeld vijf uur per nacht. Maar wat was ik blij dat ik van de medicatie af was. Niet alleen door de vele bijwerkingen, maar toen ik stopte merkte ik ook hoe enorm die medicatie je gevoelens afvlakt. Ik merkte bovendien dat ik bepaalde dingen toch had weggestopt en daar alsnog via therapie mee aan de slag moest. Als ik vooraf had geweten door wat voor een hel je moet als je met antidepressiva wilt stoppen, was ik er nooit aan begonnen." ∎

### Informatie over antidepressiva

- www.nedkad.nl: Nederlands Kenniscentrum Angst en Depressie
- www.adfstichting.nl: Angst-, dwang- en fobiestichting,
- www.nodea.nl: wetenschappelijk Nieuws Over Depressie En Angst
- www.depressievereniging.nl
- www.NVvp.net Nederlandse Vereniging voor Psychiatrie ten behoeve van de patiënt
- www.depressief.nl
- www.stichtingantidepressivavrij.nl

interviews: claudia coenen. de naam hülya is vanwege privacyredenen gefingeerd.

Roodborstje 9.

Winterkoninkje 10.

Merel 3.

Koolmees 2.

Vink 4.

Huismus 1.

Spreeuw 8.

Houtduif 7.

Kauw 6.

Pimpelmees 5.

Middelkoop

Vlist

Nieuwkoop

Hoenkoop

Hoenkoop

Driebruggen

De Alblasserwaard

Middelkoop

Driebruggen

Lopikerwaard

# EEN GROOT HART

Hoe groen het Hart is, blijkt altijd weer op overweldigende wijze als je vanuit het zuiden op Schiphol aan komt vliegen: een eindeloos lijkend mozaïek van weiden, kavels en slagen, gevat in water, midden in een van de dichtst bevolkte gebieden van Europa. Zelfs in het vliegtuig kom je onder de indruk van de uitgestrektheid van het Hart. Het Hart is groen, maar ook groot.

Een groot hart. Dat merk je pas op zekere leeftijd, als je nog altijd op onbekende plekken terecht blijkt te kunnen komen. Als je dat tenminste wilt. Nescio ging op zijn oude dag steeds naar dezelfde plekjes, uit nostalgie, maar ook om zich te ergeren aan alles wat de mens nu weer verprutst had.

Zelf heb ik, nu ik kan terugzien op veertig jaar rondsnuffelen in het Hart dezelfde neiging. Maar toen ik als er als jongetje mee begon, achter op de fiets en met de bus, wist ik niet hoe mooi het in Nescio's jeugd was geweest. Ik wist alleen hoe mooi ik het toen vond – wat er toen van over was.

De Alblasserwaard

Vijfheerenlanden                    Lexmond >

Land van Arkel

Meerkerk

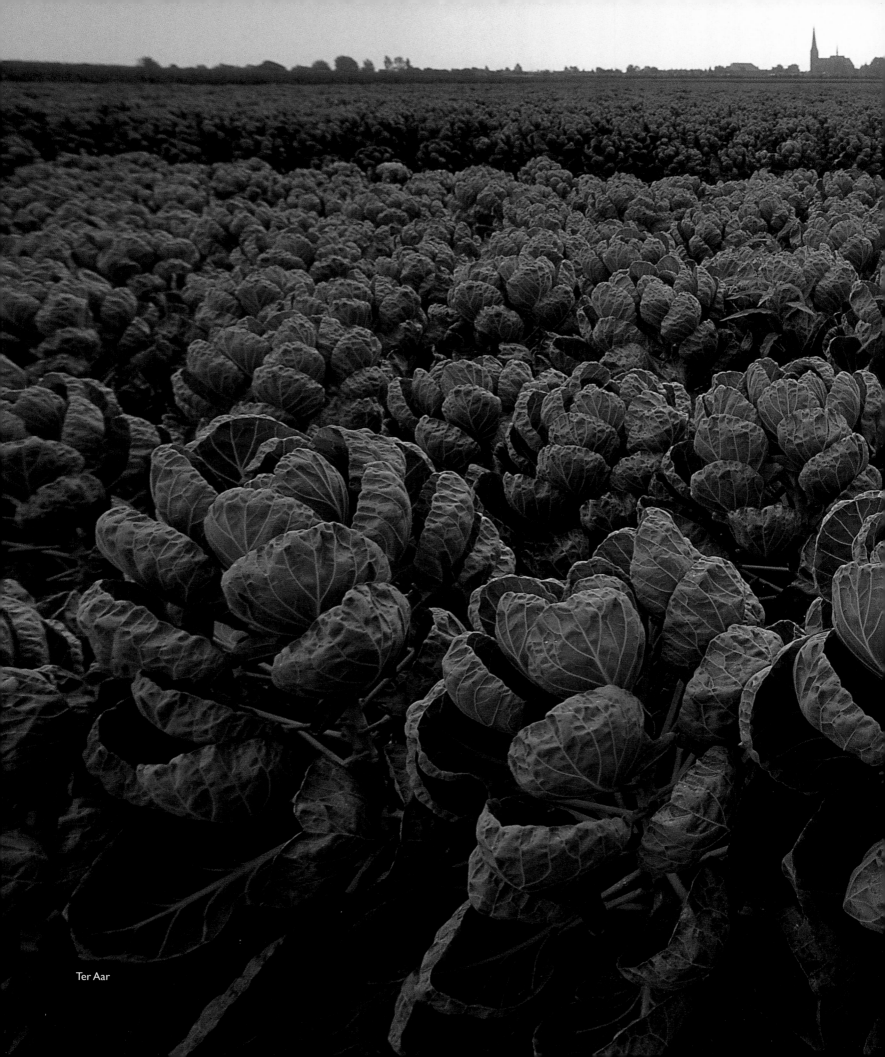

Ter Aar

De Lange Linschoten bij Oudewater

De Alblasserwaard

Vuilendam

## LITERATUUR

Geesink, Mark, en Lieve Römkens, *NRC Handelsblad*, 18 oktober 1995

Kers, Marijke, *Nederland Waterland*, Warnsveld, 1998

Lans, Jos van der, en Herman Vuijsje, *Typisch Nederlands*, Amsterdam, 2000

Lörzing, Han, *De angst voor het nieuwe landschap*, 's-Gravenhage, 1982

Metz, Tracy, *Nieuwe natuur*, Amsterdam, 1998

Montijn, Ileen, Bij Dimmendaal, *NRC Handelsblad*, 28 mei 2001

Rijksplanologische Dienst, *Balans van de Vierde nota over de ruimtelijke ordening (extra)*, Den Haag, 1994

Rijksplanologische Dienst, *Ruimtelijke Verkenningen* 1995, Den Haag, 1995

Strabbing, Henk, 's Lands allerlaatste kans, *de Volkskrant*, 25 januari 1999

Vroom, M., Open ruimte in het Groene Hart is een kwestie van suggestie, *NRC Handelsblad*, 23 maart 1995

Vuijsje, Herman, *Pelgrim zonder god*, Amsterdam, 1990

Vuijsje, Herman, *Vergezichten, tien visies op recreatie en beleid*, Amersfoort/Amsterdam, 1994

## COLOFON

*Mijn Groene Hart* is een uitgave van Inmerc bv, Wormer

Fotografie: Martin Kers
Tekst: Herman Vuijsje
Omslagontwerp: Loek de Leeuw (Inmerc bv)
Vormgeving: Pim Smit, Amsterdam

© 2001 Inmerc bv, Wormer

ISBN 90 6611 277 8
NUGI 480, 922